SOMMAIRE

La ponctuation

1 Termine les phrases suivantes par le signe de ponctuation approprié.

a) Quel empoté, ce garagiste

b) Pourquoi a-t-il changé les essuie-glaces alors que je lui avais demandé de vidanger l'huile

c) Je me demande à quoi il a pensé

d) Il a vérifié la boîte de vitesses, les freins, la pression des pneus, le parallélisme des roues, etc

e) Je ne sais pas combien cela va me coûter

f) Quand j'y pense, j'ai le goût de pleurer

g) Quand les garagistes deviendront-ils plus fiables

h) Je n'ai pas de réponse à cette question

i) Si tu savais comme j'ai hâte de trouver un bon garagiste

POUR T'AIDER

- Le point termine une phrase déclarative.

  Après l'abréviation **etc.**, on met toujours un point (et non pas des points de suspension).

- Le point d'exclamation termine une phrase exclamative ou impérative. Il permet d'exprimer une émotion vive. Souvent, on met un point ou un point d'exclamation selon ce que l'on veut exprimer.

  Exemple : Je ne comprends rien. (*J'exprime un fait.*)
  Je ne comprends rien ! (*J'exprime une déception, une colère, une surprise, etc.*)

- Le point d'interrogation termine une phrase interrogative.

(2)

2 Transforme les phrases suivantes en une seule phrase.

a) J'ai appris que le père d'Alaric Bergeron est garagiste. Qu'il est très compétent.

_____

_____

b) « Monsieur Bergeron, je suis inquiet. Parce que le moteur fait un drôle de bruit. »

_____

_____

c) Le père d'Alaric Bergeron m'a promis. Qu'il vérifierait les freins.

_____

_____

d) Alaric aide souvent son père. À ranger le garage. Ou à réparer les crevaisons.

_____

_____

POUR T'AIDER

Il faut s'assurer que chaque phrase exprime une idée complète et éviter de faire une nouvelle phrase avec le ou les compléments.

Exemple : Je pense que monsieur Bergeron est un bon garagiste. Qu'il aime son métier.

La 2ᵉ phrase (celle écrite en rouge) n'est pas grammaticalement correcte, puisqu'elle est un complément du verbe *penser*. Il aurait fallu écrire :

Je pense que monsieur Bergeron est un bon garagiste et qu'il aime son métier.

Ajoute les virgules dans les phrases suivantes.

a) *Québec Soir* est-il un quotidien un hebdomadaire un bimensuel ou un mensuel ?

b) On y trouve des dossiers des éditoriaux des caricatures des critiques de film etc.

c) La semaine dernière le camelot m'a livré le mauvais journal.

d) Depuis qu'elle est abonnée à *Québec Soir* elle ne touche plus terre.

e) Arlette Coutu une journaliste de *Québec Soir* a gagné le prix David.

f) Notre envoyé spécial qui est plutôt désordonné a perdu son cellulaire.

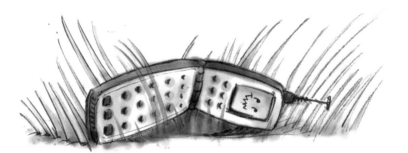

g) Très en colère monsieur Lepage rédacteur en chef de *Québec Soir* est devenu cramoisi a bondi hors de son bureau a réuni toute l'équipe et a fondu en larmes.

h) Soudain le téléphone a sonné monsieur Lepage a parlé pendant quelques minutes puis il a raccroché et tout est rentré dans l'ordre.

POUR T'AIDER

On doit mettre une virgule pour :
- séparer les éléments d'une énumération ;

  Exemple : Il achète le journal le lundi**,** le mardi**,** le mercredi et le samedi.

  Attention ! Dans une énumération, on ne met pas de virgule avant **et** ni avant **ou**, mais on en met une avant **puis** et avant **etc**.
- séparer un élément explicatif du reste de la phrase.

  Exemple : Arlette, **très concentrée**, écrivait son article.
- séparer un complément de phrase du reste de la phrase.

  Exemple : **Tous les matins**, le camelot se lève à cinq heures.

 Dans les deux articles et dans la pensée du jour de *Québec Soir* **(page suivante), les 27 virgules ont disparu.**
Ajoute-les.

QUÉBEC SOIR

Les faits au service du savoir

2$

UN MAMMOUTH AU MONT-SAINTE-ANNE !

Un chauffeur d'autobus se retrouve nez à nez avec un mammouth !

La pensée du jour

La nuit tous les chats sont gris.

L'enfant prodige de Rimouski

Il s'appelle Clovis Bureau-Huot il est né à Rimouski. Hier le 12 mars c'était son anniversaire. Il vient d'avoir neuf ans. Clovis fait du ski joue du violon aime la lecture et adore taquiner sa sœur Marie. Bien qu'il ressemble à beaucoup de petits Québécois de son âge Clovis n'est pas tout à fait comme les autres.

Alors que ses camarades terminent leur deuxième cycle du primaire Clovis lui termine sa première année à la Faculté de médecine de l'Université de Montréal. Il sera médecin à l'âge de quatorze ans. Malheureusement Clovis ne pourra pas exercer son art avant l'âge de dix-huit ans. Le petit génie qui voue une véritable passion à l'écrivain Jacques Ferron a déclaré à **Québec Soir** qu'il en profiterait pour faire un doctorat en littérature québécoise.

Tout commence vendredi vers 9 h lorsque monsieur Girard chauffeur d'autobus scolaire rentre de sa tournée du matin. « J'habite en dehors du village dans une maison assez isolée a-t-il déclaré à **Québec Soir**.

Après avoir stationné mon autobus derrière la remise je m'apprêtais à rentrer dans la maison lorsque j'ai entendu un drôle de bruit comme si quelqu'un reniflait très fort. C'est en me retournant que j'ai vu la bête. Un énorme éléphant avec de longs poils bruns et des cornes qui devaient mesurer au moins un mètre chacune. Il n'avait pas l'air commode. Je suis rentré dans la maison à reculons comme il faut faire quand on rencontre un ours. J'ai téléphoné tout de suite aux pompiers. Mais manifestement ils ne me croyaient pas. C'est alors que j'ai pensé prendre une photo. Bien entendu quand les pompiers sont enfin arrivés l'animal avait disparu. »

Comme vous pouvez le constater sur la photo ci-dessus le monstre de monsieur Girard est bel et bien un mammouth rescapé des temps préhistoriques. Les autorités ont déjà pris les mesures qui s'imposent pour protéger la population.

Les principales erreurs de syntaxe

5 Chaque phrase contient une faute de syntaxe. Corrige-la.

1) J'ai jamais su ce qui lui était arrivé.

2) Quand on est pas attentif, on risque de tomber dans un piège.

3) Il parlait si vite que personne comprenait.

4) Si mes amis me verraient, ils n'en reviendraient pas.

5) Jérémie Boulet ne comprend pas qu'est-ce que tu lui reproches.

6) Elle pleurait à cause qu'elle se sentait abandonnée.

7) On avait même pas eu le temps de se reposer deux minutes.

8) J'ai vu personne arriver.

9) Si tu voudrais, nous partirions en voyage.

10) Madame Létourneau sait toujours qu'est-ce qui me fait plaisir.

11) Si je serais un oiseau, je nicherais dans un bouleau.

12) Quand on apprécie pas son humour, il se fâche.

13) Savez-vous qu'est-ce qui s'est passé ?

14) Je suis tombé à cause qu'il ventait à décorner cinq cent mille bœufs.

15) S'il ferait beau, je construirais un radeau.

16) On ne sait jamais qu'est-ce que pense Jérémie Boulet.

17) Jérémie est en colère à cause que tu ne l'as pas invité.

18) Si l'amour prendrait racine, j'en planterais.

POUR T'AIDER

- Dans une phrase négative, il ne faut **jamais** oublier le **ne** (n').
  Exemples : Lili **ne** vient jamais.
  On **n'**attend pas.
  Personne **ne** viendra.

- Le verbe précédé de **si** ne se met **jamais** au conditionnel. Il se met à l'indicatif imparfait quand l'autre verbe de la phrase est au conditionnel présent.
  Exemple : **Si** j'avais des ailes, je volerais.

- La formule **Qu'est-ce que** ne peut être utilisée qu'au **début** d'une question. À l'intérieur d'une phrase, on emploie **ce que** ou **ce qui**.
  Exemples : **Qu'est-ce que** tu dis ?
  Je ne crois pas **ce que** tu dis.

- **À cause que** ne s'emploie plus (c'est du vieux français), on doit utiliser **parce que**.
  Exemple : Je chante **parce que** je suis heureux.

19) La maison que tu parles appartient à madame Létourneau.

20) Madame Létourneau est allée à Kiev, Moscou et Saint-Pétersbourg.

21) Lisette et moi avons réussi à se débarrasser de la moufette.

22) Jérémie Boulet est allé en Espagne, Italie et Grèce.

23) Il lui est arrivé une aventure qu'il se souviendra longtemps.

24) « Allons se promener ! » dit Jérémie.

25) Regarde ! C'est le chien que je t'ai parlé.

26) Il a écrit à sa mère, son frère et sa sœur.

27) Demain, nous devons se lever tôt.

28) Prenez toutes les couvertures que vous avez besoin.

29) Nous n'avons pas besoin de se dépêcher.

30) Il a rapporté des souvenirs de Madrid, Rome et Athènes.

31) Jérémie et moi allons se rencontrer en Italie.

32) Madame Létourneau donnait des cours de chant, violon, flûte et hautbois.

33) Nous sommes partis à la campagne pour se reposer.

34) Jérémie Boulet était très fort en calcul, histoire et géographie.

35) Nous avons décidé de se marier.

36) Jérémie Boulet porte des chaussettes de laine ou coton.

POUR T'AIDER

- Le pronom relatif **que** répond aux questions **quoi ?** ou **qui ?**
  Exemple : Le film **que** je regarde...
  (Je regarde *quoi ?* **que**, mis pour *le film*.)
  Lorsque le pronom relatif répond à la question **de quoi ?** (ou de qui ?), il faut employer **dont**.
  Exemple : Le film **dont** je parle...
  (Je parle *de quoi ?* de **dont**, mis pour *le film*.)

- Lorsqu'une phrase contient plusieurs compléments introduits par **à**, **de** ou **en**, il faut répéter la préposition.
  Exemple : J'irai **à** Hull et **à** Gaspé.

- Un pronom doit avoir le même genre, le même nombre et la même personne que son antécédent.
  Exemples : Léa veut **se** lever
  Elle veut **se** lever.
  Léa et moi voulons **nous** lever.
  Nous voulons **nous** lever.

(7)

2 La cohérence du texte

Les mots de relation

1 Pour chaque phrase, entoure le mot de relation qui convient.

a) Deux policiers venaient d'immobiliser leur voiture-patrouille le long de la rue…

| car… |
| et… |
| donc… |

avançaient vers nous.

b) Ils s'y connaissent sûrement en informatique…

| mais… |
| pendant qu'… |
| puisqu'… |

ils ont un site Web.

c) Isabelle n'avait pas l'air convaincue…

| parce que… |
| mais… |
| pendant que… |

je ne pouvais pas lui en vouloir.

d) Isabelle allait sûrement insister…

| bien que… |
| pour que… |
| pendant que… |

je me rende aux policiers.

e) J'enfilai mon manteau et plaçai mon sac sur mon dos…

| grâce à… |
| afin d'… |
| mais… |

être libre de mes mouvements.

Michel Villeneuve, *Alex et les Cyberpirates*, coll. « Atout », Montréal, Hurtubise HMH, 2001.

POUR T'AIDER

Les mots de relation servent à enchaîner des idées ou des événements dans une même phrase, entre deux phrases ou entre deux paragraphes, selon le type de lien que l'on veut créer.

Mais et **bien que** indiquent l'opposition.

Et indique l'addition.

Donc indique la conséquence.

Pendant que indique le temps.

Pour que et **afin de** indiquent le but.

Puisque, parce que, car et **grâce à** indiquent la cause.

2 Complète les phrases par et ou mais.

a) Le noir me fait peur, _____ la lumière est encore pire, elle risque d'attirer l'attention sur nous.

b) À tâtons, il cherche la portière, la trouve _____ l'ouvre doucement.

c) La portière de la voiture est restée ouverte _____ la veilleuse nous donne un peu de lumière.

d) Il ne s'agit pas d'une lampe, _____ tout simplement de la clarté de la lune.

e) J'ai cru que l'assassin venait de nous repérer _____ qu'il nous tendait un piège.

f) Ça saigne beaucoup, c'est impressionnant, _____ ça n'a rien de grave.

g) Nous aidons Geneviève à s'installer sur le canapé _____ nous essayons de réfléchir.

h) Les questions se bousculent dans nos têtes, _____ nous n'avons aucun moyen d'y répondre.

i) La lune se découpe clairement dans l'encadrement d'une fenêtre _____ nous envoie sa lumière blafarde.

j) Mon père m'a bien dit que monsieur Larsen était un peu spécial, _____ de là à en faire un trafiquant…

k) La menace du mystérieux meurtrier est provisoirement écartée, _____ nous ne sommes pas pour autant sortis de ce mauvais pas.

Laurent Chabin, *L'Assassin impossible*,
coll. « Atout », Montréal,
Hurtubise HMH, 2002.

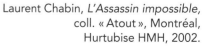

3 Complète les phrases par grâce à (grâce au, aux) ou à cause de (à cause du).

a) _____ courage de monsieur Ernest, les voleurs furent démasqués.

b) Il distingua les mouvements du suspect _____ la lueur du réverbère.

c) _____ leur impatience, leur plan avait échoué.

d) Le voleur avait glissé du toit _____ verglas.

e) Il avait vite guéri _____ bons soins de madame Blandine.

f) _____ la foule qui paniquait, monsieur Ernest les avait perdus de vue.

g) Pourtant, _____ son intuition, on avait retrouvé les bandits.

h) _____ lui, la ville était débarrassée de ces malotrus.

i) Monsieur Ernest était connu de tous _____ son bon caractère.

j) Monsieur Ernest était connu de tous _____ son mauvais caractère.

POUR T'AIDER

- **Grâce à** signifie **à l'aide de**.
  On emploie **grâce à** pour parler d'un résultat agréable ou heureux.
  Exemple : Grâce à toi, j'ai réussi.

- **À cause de** signifie **par la faute de**.
  On emploie **à cause de** pour parler d'un résultat désagréable ou malheureux.
  Exemple : À cause de toi, j'ai échoué.

4 **Complète les phrases par les mots de ton choix.**

a) Victor était bien gentil, mais _____.

b) _____, mais il l'énervait

parfois.

c) Victor adorait les biscuits et _____.

d) _____ et elle en offrait à

la cantonade.

e) _____, car il s'était

fait mal.

f) Victorine avait rougi, car _____.

g) Victor était l'ami de tous ses voisins, Victorine était sa voisine, donc

_____.

h) _____, donc

elle rêvait.

i) Victor riait pendant que _____.

j) Victorine se bouchait les oreilles pendant que _____

_____.

k) Puisque c'est comme ça, _____.

l) Victorine s'était tue puisque _____.

5 Réunis les deux phrases par le mot de relation qui convient.

Ainsi   Cependant   Quand

a) Un renard peut vivre environ cinq ans. _____ on a déjà vu des individus âgés de quatorze ans.

b) Le renard habite dans un terrier bien dissimulé. _____ il se sent découvert, le renard déménage.

c) Le renard est très rusé. _____ , il lui arrive de se cacher dans du fumier pour déjouer ses poursuivants.

6 Choisis les deux mots de relation qui conviennent pour enchaîner les paragraphes du texte ci-dessous.

Car   C'est pourquoi   Tout à coup   Bien que   Lorsque

L'ours et le renard

Le renard s'approcha d'un tepee, et voyant un poisson en train de cuire sur des braises rouges, il le vola et se sauva au plus vite. Il était fier d'avoir pu à si bon compte se procurer un bon repas.

_____ , il aperçut l'ours qui arrivait en se dandinant. Et flip! et flop! et flip! et flop! Notre renard grimpa dans le premier arbre venu et commença à manger son poisson en faisant le plus de bruit possible avec ses mâchoires : et miam! et re-miam! et miam! et re-miam!

_____ l'ours, toujours en se dandinant, arriva sous l'arbre, le renard lui lança un petit bout de poisson cuit sur la tête.

D'après Françoise Demars, *Contes des Indiens d'Amérique*, Paris, Magnard, 2004.

L'ours noir

- Il se nourrit de plantes, d'insectes, de petits mammifères.
- Il adore le miel. Il cause souvent des dégâts aux ruches.
- Il a l'air maladroit et pataud. Il peut courir à une vitesse de 55 km/h.
- En général, la femelle donne naissance à deux oursons.
- On a déjà vu une ourse avoir une portée de cinq petits.
- Il hiberne : l'hiver, sa température corporelle diminue et son rythme cardiaque ralentit.

7 À partir des informations sur l'ours présentées ci-dessus, écris une phrase dans laquelle tu emploieras le mot de relation entre parenthèses.

a) (et) _____

b) (c'est pourquoi) _____

c) (bien que) _____

8 À partir des mêmes informations, écris deux phrases qui seront reliées par le mot de relation entre parenthèses.

a) (Pourtant) _____

_____

b) (En effet) _____

_____

9 Un ours et un renard se rencontrent dans un champ de bleuets. Raconte cette anecdote en deux paragraphes qui seront reliés par le mot de relation soudain.

_____

_____

_____

_____

_____

_____

Le temps des verbes

10 Le texte suivant est écrit au passé. Change les temps des verbes pour que le texte soit au présent. Inspire-toi de l'exemple.

Kankan ~~était~~ ^{est} une sorte de monstre hybride, à mi-chemin entre l'homme et l'oiseau, et l'on disait de lui qu'il avait un jour, on ne sait trop comment, surgi du néant. Le corps de Kankan était constitué d'un assemblage tout à fait bizarre : de longues pattes effilées comme celles de la cigogne supportaient un buste humain dont le cou musclé se terminait par une tête de hibou. […]

Kankan était propriétaire d'un grand champ marécageux. Un jour, il décida de mettre en valeur son champ envahi par la mauvaise herbe. Mais parce qu'il était paresseux de nature, l'étrange Kankan eut l'idée de faire défricher son champ par d'autres que lui en organisant une « Owé ».

Durant cette journée de travail collectif et gratuit, les seules choses dues à ses hôtes seraient les boissons et le repas.

En fait, Kankan avait une tout autre idée derrière la tête.

Louis Camara, *Kankan le maléfique*, coll. « Plus »,
Montréal, Hurtubise HMH, 2001.

POUR T'AIDER

> Quand on écrit un texte au présent, les verbes sont au présent. Si certaines actions se sont déroulées avant, elles sont exprimées à l'aide du passé composé ; si certaines actions sont à venir, elles sont exprimées à l'aide du futur simple.

11 Le texte suivant est écrit au présent. Change les temps des verbes pour qu'il soit au passé. Inspire-toi de l'exemple.

vivait
M. Hoppy ~~vit~~ seul. Il a toujours été un homme solitaire, et maintenant qu'il a pris sa retraite, il est plus seul que jamais.

M. Hoppy a deux passions dans la vie. La première, pour les fleurs qu'il cultive sur son balcon.

La seconde passion de M. Hoppy est un secret qu'il garde au plus profond de son cœur. Le balcon qui se trouve à l'étage inférieur est celui d'une charmante femme entre deux âges, du nom de Mme Silver ; elle est veuve et vit seule, elle aussi. Elle ne le sait pas, bien sûr, mais c'est elle l'objet de l'amour secret de M. Hoppy. Il l'aime depuis de longues années déjà, mais jamais il n'a pu se décider à lui donner le moindre témoignage de sa flamme. S'il accomplit une action d'éclat, cela fera de lui un héros aux yeux de Mme Silver ! Voilà ce qu'il faut…

Or, un beau matin de mai survient un événement qui transforme, ou plutôt bouleverse, la vie de M. Hoppy.

D'après Roald Dahl, *Un amour de tortue*, traduit de l'anglais par Henri Robillot, coll. « Folio cadet bleu », Paris, Gallimard, 1990.

POUR T'AIDER

Quand on écrit un texte au passé, les verbes sont soit au passé composé soit au passé simple.

Les actions répétées ou qui durent longtemps ainsi que les descriptions sont à l'imparfait.

Si certaines actions se sont déroulées avant, elles sont exprimées à l'aide du plus-que-parfait ; si certaines actions sont à venir, elles sont exprimées à l'aide du conditionnel présent.

L'emploi fautif des pronoms il(s) et tu

a) Ce matin-là, deux élèves avaient lancé des pierres à un écureuil. Le professeur était si fâché qu'**il** nous a fait un cours sur les animaux disparus.

b) Les scientifiques sont catégoriques : si **tu** pêches trop le saumon, il disparaîtra.

c) Les grands pingouins ont disparu au 19ᵉ siècle. **Ils** les tuaient pour se nourrir ou pour se chauffer avec leur graisse.

d) Sur les îles de Mascareigne, dans l'océan Indien, **ils** ont découvert des fossiles de tortues géantes qui étaient capables de courir.

e) Arthur dit à son frère : « Si **tu** crois que le grand pingouin est capable de voler, **tu** te trompes. »

f) Les glyptodons sont une sorte de tatou. **Ils** vivaient en Amérique du Sud il y a environ 10 000 ans.

POUR T'AIDER

- Le pronom personnel **il(s)** doit toujours remplacer un mot ou un groupe de mots **que l'on peut clairement identifier**.
- Le pronom personnel **tu** doit toujours représenter une personne en particulier, celle **à qui l'on parle**.
- Lorsque l'on ne connaît pas l'identité exacte de la personne ou du groupe de personnes dont on parle, ou lorsque l'on parle en général, il faut employer le pronom indéfini **on**.

  Exemple : Le saumon est menacé, **il** risque de disparaître si **on** le pêche trop.

Complète par il(s), tu et on. Mets le verbe entre parenthèses au passé composé.

a) Les pêcheurs appréciaient la graisse des grands pingouins.

_____ les _____ (chasser) jusqu'au

19ᵉ siècle.

b) _____ _____ (pêcher) de telles quantités de morue

qu'elle se fait de plus en plus rare.

c) Au musée national d'histoire naturelle de Washington, _____

_____ (exposer) un fossile de glyptodon.

d) « Est-ce que _____ _____ (écouter) quand je t'ai parlé

des grands pingouins ? » demande Mathilde à Raoul.

e) Lorsque les enfants ont aperçu le mammouth, _____

_____ (se sauver) en hurlant.

f) Raoul dit à Germaine : « _____ _____ (voir),

il a bougé ! »

g) Lucy regarde la peinture faite par son mari et lui dit :

« _____ _____ (dessiner) un bien joli mammouth ! »

h) _____ _____ (découvrir) des fresques représentant

des mammouths sur les parois de la grotte de Lascaux, en France.

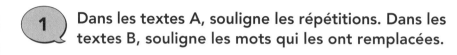 **3 Le style**

Éviter les répétitions

POUR T'AIDER

Pour remplacer les répétitions, on peut utiliser des pronoms, des synonymes ou d'autres mots qui, selon le contexte, ont le même sens.

1 Dans les textes A, souligne les répétitions. Dans les textes B, souligne les mots qui les ont remplacées.

A. Les Français ne sont pas les premiers Européens venus explorer l'Amérique du Nord. Les Vikings avant les Français avaient exploré l'Amérique du Nord. Les Vikings ont d'ailleurs laissé des traces de leur passage au Labrador et à Terre-Neuve.

B. Les Français ne sont pas les premiers Européens venus explorer l'Amérique du Nord. Les Vikings avant eux avaient parcouru ce continent. Ils ont d'ailleurs laissé des traces de leur passage au Labrador et à Terre-Neuve.

A. Vers l'an mille, le Viking Erik le Rouge est chassé d'Islande pour avoir commis un meurtre. Le Viking Erik le Rouge prend donc la mer avec sa femme et ses enfants. Au bout d'un long voyage, le Viking Erik le Rouge avec sa femme et ses enfants arrive au Groenland et s'installe au Groenland.

B. Vers l'an mille, le Viking Erik le Rouge est chassé d'Islande pour avoir commis un meurtre. Il prend donc la mer avec sa femme et ses enfants. Au bout d'un long voyage, la famille arrive au Groenland et s'y installe.

2 Souligne les répétitions, puis réécris le texte.

a) Lors de leur voyage, les Vikings emmènent des chiens, des moutons, des cochons et même des vaches et des chevaux. Les Vikings remplissent les navires d'énormes quantités de vivres afin de nourrir les chiens, les moutons, les cochons, les vaches et les chevaux pendant le voyage.

_____

_____

_____

_____

_____

_____

_____

_____

_____

_____

b) Les Vikings s'installent pour quelque temps au Labrador et à Terre-Neuve. En 1886, on a retrouvé des traces du passage des Vikings au Labrador et à Terre-Neuve. Mais les Vikings ne restent pas longtemps, car des conflits opposent les Vikings aux autochtones.

_____

_____

_____

_____

_____

_____

_____

_____

_____

Employer des mots précis

 Barre le verbe avoir, puis écris au-dessus un verbe plus précis. Choisis-le parmi la liste suivante.

| détenir | éprouver | gagner | jouir de |
| mesurer | obtenir | porter | se procurer |

a) Mathilde voudrait avoir un billet pour le gala sportif de l'école.

b) Comme elle a une bonne santé, sa mère lui permet d'y assister.

c) Lisette, sa meilleure amie, a sa robe des grandes occasions.

d) Lucrèce, sa pire ennemie, est coiffée d'un turban qui a deux mètres.

e) C'est Lisette qui a le prix de participation.

f) Lucrèce, elle, a la médaille d'or.

g) Lisette essaye de cacher la déception qu'elle a.

h) « Lucrèce a le record de stupidité », dit Mathilde.

4 Remplace l'expression il y a par un verbe plus précis.
Choisis-le parmi la liste suivante.

bloquer   commencer   exister   recouvrir   se tenir   voler

a) Il y a un embouteillage rue Girouard.   ➡   Un embouteillage _____ la rue Girouard.

b) Il y a un avion dans le ciel.   ➡   Un avion _____ dans le ciel.

c) Il y a de la glace sur le trottoir.   ➡   De la glace _____ le trottoir.

d) À quelle heure il y a un spectacle ?   ➡   À quelle heure _____ le spectacle ?

e) Il y a une différence entre eux.   ➡   Une différence _____ entre eux.

f) Il y a un homme devant la porte.   ➡   Un homme _____ devant la porte.

5 Barre le mot chose, puis écris au-dessus un mot plus précis.
Choisis-le parmi la liste suivante.

aventure   épreuve   matière   outil   plat

a) Il m'est arrivé une chose extraordinaire !

b) La soupe à l'oignon est une chose que je déteste !

c) Le marteau est une chose indispensable dans une maison.

d) À l'école, la chose que je préférais était l'éducation physique.

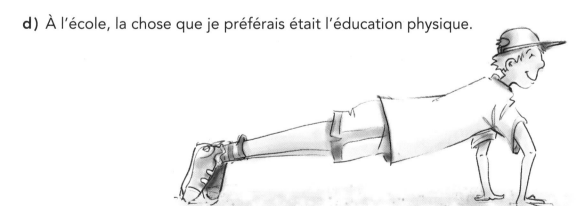

e) La maladie de Barbara était une chose terrible pour sa mère.

Éviter les pléonasmes

 Barre toutes les bulles dans lesquelles se trouve un pléonasme et souligne-le.

On a l'air fin, ta cravate est pareille comme la mienne !

Oublie ce mauvais cauchemar.

Commence d'abord par garder ton calme !

On a l'air malin, mon chapeau est pareil au tien !

Je ne vois pas pourquoi tu t'esclaffes.

En le voyant, je me suis esclaffé de rire !

Laissez un court message après le bip.

Dépêche-toi, les magasins vont fermer !

Raconte-moi encore ton cauchemar.

Dépêche-toi vite ! Le bus arrive !

Après le bip sonore, laissez votre message.

Commence par dire bonjour !

POUR T'AIDER

Un pléonasme est une répétition de mots dont le sens est identique.
Exemple :
J'avais **prévu à l'avance** la victoire. → J'avais **prévu** la victoire.

*Prévoir, c'est voir un événement avant qu'il arrive. On n'a donc pas besoin d'ajouter **à l'avance**.*

Éviter les anglicismes

7 Barre toutes les bulles dans lesquelles se trouve un anglicisme et souligne-le.

Enrichir les phrases

8 Enrichis chaque phrase en ajoutant un adjectif.

a) Une fille attend. _____

b) Les oiseaux font leur nid. _____

c) La porte s'ouvre. _____

9 Enrichis les phrases que tu as écrites à l'exercice 8 en ajoutant un adverbe.

a) _____

b) _____

c) _____

10 Enrichis les phrases que tu as écrites à l'exercice 9 en ajoutant un complément de nom.

a) _____

b) _____

c) _____

11 Enrichis les phrases que tu as écrites à l'exercice 10 en ajoutant un complément de phrase.

a) _____

b) _____

c) _____

POUR T'AIDER

Pour enrichir un texte, on peut ajouter des adjectifs, des adverbes, des compléments de nom, des compléments de phrase.

Exemple : Un homme chante.
Un **jeune** homme chante.
Un jeune homme chante **doucement**.
Un jeune homme **en pyjama** chante doucement.
Sur le balcon d'en face, un jeune homme en pyjama chante doucement.

Varier les phrases

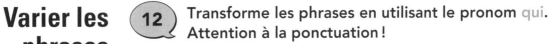

12 Transforme les phrases en utilisant le pronom qui. Attention à la ponctuation !

a) La petite fille marche dans la nuit, elle est paralysée par la peur.

_____

_____

b) Clothilde perdit l'équilibre, elle tomba dans l'eau.

_____

_____

c) Un gros chien arrive en trombe, il aperçoit l'enfant.

_____

_____

13 Transforme les mêmes phrases en mettant le verbe souligné au participe présent.

a) La petite fille <u>marche</u> dans la nuit, elle est paralysée par la peur.

_____

_____

b) Clothilde <u>perdit</u> l'équilibre, elle tomba dans l'eau.

_____

_____

c) Un gros chien <u>arrive</u> en trombe, il aperçoit l'enfant.

_____

_____

POUR T'AIDER

Il existe plusieurs façons de transformer des phrases.

Exemple : Le garçon était perdu, il tournait en rond.

- Réunir les deux phrases par le pronom relatif **qui**.
  – Le garçon, qui était perdu, tournait en rond.
  – Le garçon, qui tournait en rond, était perdu.
- Mettre l'un des verbes au participe présent.
  – Le garçon, tournant en rond, était perdu.
  – Tournant en rond, le garçon était perdu.

4 Le texte narratif

Le plan

1 L'article de *Québec Soir* (page suivante), dont le sujet est un accident survenu lors d'une croisière sur le Saint-Laurent, respecte le plan d'un texte narratif. Lis le plan (ci-dessous), puis surligne dans l'article la situation initiale en jaune, le déroulement en bleu et la situation finale en rose.

PLAN

LA SITUATION INITIALE

Où ?   Sur un bateau
Quand ?   Au mois de juillet
Qui ?   Un petit garçon
Quoi ?   Il joue avec une balle.

LE DÉROULEMENT

L'élément déclencheur : Un coup de vent fait dévier la balle.

Les péripéties : – Le petit garçon tombe à l'eau.
                              – On essaie de le sauver.
                              – Une baleine le mange.

Le dénouement : La baleine recrache le petit garçon.

LA SITUATION FINALE

Le petit garçon est retrouvé vivant.

QUÉBEC SOIR
Les faits au service du savoir

Le lundi 16 juillet

2$

JONAS DES TEMPS MODERNES

La semaine dernière, à Tadoussac, Jonas Laliberté, accompagné de ses parents et de sa petite sœur, embarque sur le *Louis-Joliette* pour une croisière sur le Saint-Laurent. C'est un temps magnifique pour l'observation des baleines. Jonas, qui a dix ans, n'a jamais vu de baleines. Il est heureux.

Au bout de quelques heures, aucun de ces mastodontes ne s'est manifesté. Jonas et sa petite sœur, Géraldine, commencent à s'ennuyer. Ils décident d'aller faire un tour sur le pont arrière du bateau. En marchant, Jonas lance en l'air la balle qu'il a toujours sur lui, de plus en plus fort, de plus en plus haut.

Mais un brusque coup de vent fait dévier la balle. Jonas se précipite pour la rattraper. Il ne voit pas les cordages qui traînent sur le pont. Il trébuche, tente en vain de s'accrocher au premier garde-fou, glisse sous le bastingage et, sous le regard horrifié de sa petite sœur, tombe à la mer. Une chute de près de quinze mètres dans l'eau glacée !

Un matelot, qui a assisté à la scène, plonge aussitôt pour récupérer l'enfant qui vient de disparaître dans les flots. C'est le branle-bas de combat ! Les parents de Jonas et les autres passagers, alertés par les hurlements de Géraldine, arrivent en courant. Le père de Jonas plonge à son tour pour sauver son fils. On lance des bouées de sauvetage, on met un canot à l'eau.

Photo : Stéphane J. Bourrelle

Soudain, quelqu'un s'écrie : « Le voilà ! Je le vois ! Il est là-bas ! » Et en effet, à quelque cinquante mètres à bâbord, on aperçoit Jonas qui a refait surface et se débat énergiquement.

C'est alors que tous assistent à une scène digne des pires cauchemars : une baleine bleue, surgissant de nulle part, s'approche de Jonas, ouvre son énorme bouche et avale le pauvre garçon.

Un silence de plomb s'abat sur le navire. De mémoire de marin, on n'a jamais vécu un tel drame. Mais il faut se rendre à l'évidence, Jonas est bel et bien dans le ventre de la baleine. Rien ni personne ne pourra le sauver.

Et pourtant ! un miracle a eu lieu, hier, aux Îles de la Madeleine. Gilbert Lagacé, 37 ans, pêcheur à Cap-aux-Meules, est en train de relever ses filets lorsqu'il remarque le comportement bizarre d'une baleine qui, près de la rive, crache quelque chose sur le sable.

C'est le petit Jonas Laliberté en chair et en os, un peu amaigri, mais bel et bien vivant, dont l'incroyable disparition a ému le monde entier il y a trois jours.

La situation initiale

 2 **Pour chaque sujet, complète le plan de la situation initiale.**

Sujet A : Le premier cours de danse de l'année d'une petite fille.

Situation initiale

Ce samedi matin d'octobre, Espérance est fébrile. C'est aujourd'hui son premier cours de danse classique de l'année. Elle est arrivée en avance. Assise sur une chaise, près de la porte de la salle du cours, déjà en maillot et collant noirs, elle attend.

PLAN DE LA SITUATION INITIALE
Où ? _____
Quand ? _____
Qui ? _____
Quoi ? _____

POUR T'AIDER

LA SITUATION INITIALE

Où ? Dans quel lieu se passe l'histoire ?
Quand ? À quelle heure, en quelle saison, en quelle année, à quelle époque se situe l'action ?
Qui ? Quel est le personnage principal ?
Quoi ? Que fait le personnage en ce lieu ?

Sujet B : Une aventure arrivée à un détective privé.

Monsieur Martel dirige une agence de détectives privés. Un soir de janvier, seul dans son bureau, il réfléchit à une histoire de collier volé sur laquelle il piétine depuis des mois.

PLAN DE LA SITUATION INITIALE
Où ? _____
Quand ? _____
Qui ? _____
Quoi ? _____

Le déroulement

 3 Pour chaque sujet, complète le plan du déroulement.

Sujet A : Le premier cours de danse de l'année d'une petite fille.

Situation initiale

Ce samedi matin d'octobre, Espérance est fébrile. C'est aujourd'hui son premier cours de danse classique de l'année. Elle est arrivée en avance. Assise sur une chaise, près de la porte de la salle du cours, déjà en maillot et collant noirs, elle attend.

Déroulement

Alors qu'elle vérifie pour la centième fois son costume, Espérance aperçoit un petit fil de rien du tout sur son genou droit. Elle tire un peu dessus pour l'enlever, mais le fil résiste. Elle tire, elle tire, elle tire encore, et elle voit avec consternation son genou se dénuder au fur et à mesure. Un énorme trou apparaît, d'au moins 5 cm de diamètre. Espérance panique, sa gorge se noue, les larmes lui viennent aux yeux. Tout le monde va se moquer, pense-t-elle.

Elle fouille frénétiquement dans son sac, à la recherche de quelque chose, n'importe quoi, qui pourra la dépanner. Au fond de son sac, il y a un crayon feutre noir. Vite, elle le débouche et colorie son genou pour masquer le désastre.

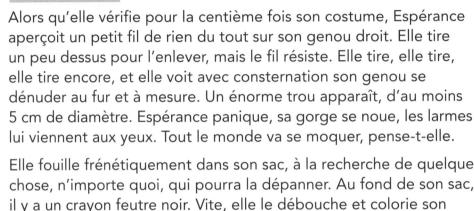

PLAN DU DÉROULEMENT

L'élément déclencheur : _____

_____

Les péripéties : _____

_____

_____

_____

_____

Le dénouement : _____

_____

LE DÉROULEMENT

L'élément déclencheur : l'événement qui vient déranger le personnage principal.
Les péripéties : les événements qui font avancer l'histoire, qui ont pour but de régler le problème.
Le dénouement : la façon dont le problème est résolu.

Sujet B : Une aventure arrivée à un détective privé.

Monsieur Martel dirige une agence de détectives privés. Un soir de janvier, seul dans son bureau, il réfléchit à une histoire de collier volé sur laquelle il piétine depuis des mois.

Déroulement

Soudain, son téléphone cellulaire vibre dans sa poche. Il répond et la voix rauque d'un inconnu lui dit : « Le collier que vous cherchez se trouve rue Saint-Denis. Je ne vous dirai pas l'adresse. Sachez seulement que si on la divise par 5, qu'on ajoute 10 et qu'on multiplie par 3, on obtient 72. » Puis, la communication est coupée. Monsieur Martel est perplexe. Il se gratte la tête. Il fait des calculs.

Et tout à coup, c'est l'illumination. Sortant en trombe de son bureau, monsieur Martel saute dans sa voiture et roule à toute vitesse jusqu'au 70, rue Saint-Denis.

PLAN DU DÉROULEMENT

L'élément déclencheur : _____

_____

Les péripéties : _____

_____

_____

_____

_____

Le dénouement : _____

_____

La situation finale

4 Pour chaque sujet, écris le plan de la situation finale.

LA SITUATION FINALE

C'est la conclusion, la situation du personnage après l'aventure qu'il a vécue.

Sujet A : Le premier cours de danse de l'année d'une petite fille.

Situation initiale

Ce samedi matin d'octobre, Espérance est fébrile. C'est aujourd'hui son premier cours de danse classique de l'année. Elle est arrivée en avance. Assise sur une chaise, près de la porte de la salle du cours, déjà en maillot et collant noirs, elle attend.

Déroulement

Alors qu'elle vérifie pour la centième fois son costume, Espérance aperçoit un petit fil de rien du tout sur son genou droit. Elle tire un peu dessus pour l'enlever, mais le fil résiste. Elle tire, elle tire, elle tire encore, et elle voit avec consternation son genou se dénuder au fur et à mesure. Un énorme trou apparaît, d'au moins 5 cm de diamètre. Espérance panique, sa gorge se noue, les larmes lui viennent aux yeux. Tout le monde va se moquer, pense-t-elle.

Elle fouille frénétiquement dans son sac, à la recherche de quelque chose, n'importe quoi, qui pourra la dépanner. Au fond de son sac, il y a un crayon feutre noir. Vite, elle le débouche et colorie son genou pour masquer le désastre.

Situation finale

La porte de la salle de cours s'ouvre, madame Strogonoff s'approche d'Espérance et l'invite à entrer en lui faisant un large sourire. Peu après, les autres élèves arrivent et personne ne s'aperçoit de son subterfuge.

PLAN DE LA SITUATION FINALE
_____
_____

Sujet B : Une aventure arrivée à un détective privé.

Situation initiale

Monsieur Martel dirige une agence de détectives privés. Un soir de janvier, seul dans son bureau, il réfléchit à une histoire de collier volé sur laquelle il piétine depuis des mois.

Déroulement

Soudain, son téléphone cellulaire vibre dans sa poche. Il répond et la voix rauque d'un inconnu lui dit : « Le collier que vous cherchez se trouve rue Saint-Denis. Je ne vous dirai pas l'adresse. Sachez seulement que si on la divise par 5, qu'on ajoute 10 et qu'on multiplie par 3, on obtient 72. » Puis, la communication est coupée. Monsieur Martel est perplexe. Il se gratte la tête. Il fait des calculs.

Et tout à coup, c'est l'illumination. Sortant en trombe de son bureau, monsieur Martel saute dans sa voiture et roule à toute vitesse jusqu'au 70, rue Saint-Denis.

Situation finale

La porte est grande ouverte. Monsieur Martel entre et découvre sur une petite table en verre le fameux collier. Quant au voleur, il court encore.

PLAN DE LA SITUATION FINALE

La rédaction

 Rédige un texte narratif d'environ 200 mots à partir du plan ci-dessous.

Sujet : La fin d'un match de hockey.

PLAN

LA SITUATION INITIALE

Où ?   Dans un aréna
Quand ? À la troisième période d'un match de hockey
Qui ?   Mathias, un joueur des Sabres
Quoi ?   Il est à la mise au jeu.

LE DÉROULEMENT

L'élément déclencheur : L'entraîneur des Sabres enlève son gardien.

Les péripéties : Mathias gagne la mise au jeu.
  – La rondelle se dirige vers le filet désert.
  – Un joueur des Sabres intercepte la rondelle.
  – Il revient vers la zone adverse.
  – Il fait une passe à Mathias.

Le dénouement : Mathias marque un but.

LA SITUATION FINALE

Les Sabres gagnent le match.

> **Attention !**
> Quand tu auras terminé ton texte, il faudra lui trouver un titre. Celui-ci devra refléter le contenu du texte et donner le goût de le lire.

Attention !

Pour en faciliter la lecture, un texte doit être présenté en paragraphes.

Un paragraphe est formé d'une ou de plusieurs phrases qui développent une idée. Pour présenter un paragraphe, on change de ligne.

Un texte narratif contient généralement un paragraphe pour la situation initiale, un paragraphe pour les péripéties et le dénouement, et un paragraphe pour la situation finale.

6 Rédige un texte narratif d'environ 200 mots à partir du plan ci-dessous.

Sujet : Raconte une histoire dont voici la première phrase :
« Depuis des années, Germaine vit seule à la campagne avec ses dix-huit chats. »

PLAN
LA SITUATION INITIALE
Où ? À la campagne
Quand ? Un soir d'automne
Qui ? Germaine
Quoi ? Elle s'apprête à se coucher.
LE DÉROULEMENT
L'élément déclencheur : Germaine s'aperçoit qu'une de ses chattes n'est pas rentrée.
Les péripéties : Germaine est inquiète. Elle fait les cent pas. Elle fait le guet à la fenêtre. Germaine s'endort.
Le dénouement : Germaine entend un grattement à la porte. Sa chatte lui a apporté un chiot.
LA SITUATION FINALE
Germaine adopte le chiot.

_____

_____

_____

_____

_____

_____

_____

_____

_____

_____

_____

_____

_____

_____

_____

_____

_____

_____

_____

_____

_____

_____

_____

_____

7 Fais un plan et écris un texte narratif d'environ 200 mots.

Sujet : Un roi a de grands enfants et rêve d'avoir des petits-enfants.

PLAN

LA SITUATION INITIALE

Où ? _____

Quand ? _____

Qui ? _____

Quoi ? _____

LE DÉROULEMENT

L'élément déclencheur : _____
_____

Les péripéties : _____
_____
_____
_____
_____
_____
_____

Le dénouement : _____
_____

LA SITUATION FINALE
_____

POUR T'AIDER

LA SITUATION INITIALE
Où se passe l'histoire ?
Qui est le personnage principal ?
Quand se situe l'action ?
Que fait le personnage en ce lieu ?

LE DÉROULEMENT
L'élément déclencheur : quel événement vient déranger
le personnage principal ?
Les péripéties : quels événements feront avancer l'histoire ?
Le dénouement : comment le problème sera-t-il résolu ?

LA SITUATION FINALE
Quelle sera la situation du personnage après l'aventure qu'il a vécue ?

_____

_____
_____
_____
_____
_____
_____
_____
_____
_____
_____
_____
_____
_____
_____
_____
_____
_____
_____
_____
_____
_____
_____
_____
_____

5 Le texte descriptif

Le plan

1 L'article sur le couscous (page suivante) respecte le plan d'un texte descriptif. Lis le plan (ci-dessous), puis surligne dans l'article l'introduction en jaune, le développement en bleu et la conclusion en rose.

PLAN

INTRODUCTION

Présentation du sujet : le couscous, un plat et un animal.
Présentation des aspects traités : groupe des marsupiaux, aspect physique et comportement du couscous.

DÉVELOPPEMENT

1er aspect : Ordre des primates

Sous-aspects
– origine : 100 millions d'années
– aire de répartition : Australie, Nouvelle-Guinée
– développement des petits : 1 cm à la naisssance, termine son développement dans la poche abdominale de sa mère, qui l'allaite.

2e aspect : Aspect physique du couscous

Sous-aspects
– taille : 87 cm
– poids : 4 kg
– pelage : épais ; mâle, beige à tache brunes ; femelle, fauve, blanc, gris ou brun
– mains, pieds : puissants
– queue : dépourvue de poils, préhensile

3e aspect : Le comportement du couscous

Sous-aspects
– habitat : forêts denses, dans le feuillage des arbres
– longévité : 8 à 12 ans
– habitudes : dort le jour, cherche sa nourriture la nuit
– nourriture : feuilles, insectes, œufs, petits oiseaux
– caractère : craintif, timide, dégage une forte odeur quand il est menacé

CONCLUSION

Résumé :
– Retour sur le sujet : le couscous
– Retour sur les aspects : marsupial, ressemble à un ours en peluche, discret
Idée nouvelle : un animal protégé

LE COUSCOUS

Le couscous est un plat arabe composé de semoule de blé, de viande et de légumes. Mais c'est aussi un animal étrange et attachant. Il appartient au groupe des marsupiaux dont le kangourou et le koala sont les représentants les plus connus. L'aspect physique du couscous et son comportement méritent qu'on s'y attarde quelque peu.

Les marsupiaux sont apparus il y a cent millions d'années. Ils vivent pour la plupart en Australie et en Nouvelle-Guinée. Un marsupial, à la naissance, mesure environ un centimètre et son développement est loin d'être terminé. La femelle possède une poche abdominale dans laquelle elle allaite le petit jusqu'à ce qu'il soit capable de se nourrir seul.

Physiquement, le couscous ressemble à la fois à un singe et à un ourson. Adulte, il mesure environ 87 cm et pèse près de 4 kg. L'épaisse fourrure du mâle est beige à taches brunes, alors que celle de la femelle est unie : fauve, blanche, grise ou brune. Les mains et les pieds du couscous sont très puissants et sa longue queue préhensile est dépourvue de poils.

Le couscous habite dans des forêts denses où il passe les huit à douze ans de sa vie dans le feuillage épais des arbres. Le jour, il dort caché dans le creux des branches, immobile et presque invisible. La nuit, il se déplace en s'accrochant aux branches grâce à ses griffes et à sa queue, afin de trouver des feuilles, des insectes, des œufs ou des petits oiseaux dont il se nourrit. C'est un animal craintif et timide qui ne se laisse pas approcher. Quand il se sent menacé, il dégage une forte odeur nauséabonde.

Le couscous est un marsupial discret qui ressemble à un ours en peluche. C'est aujourd'hui un animal protégé, car il a été abondamment chassé pour sa fourrure.

L'introduction

2 Pour chaque sujet, complète le plan de l'introduction.

Sujet A : Le kiwi

Introduction

Le kiwi est un délicieux fruit marron à pulpe verte originaire de Chine. Mais c'est aussi un oiseau bizarre et attendrissant. Il appartient au groupe des ratites dont l'autruche est la représentante la plus connue. Son physique et ses mœurs sont particuliers.

POUR T'AIDER

L'INTRODUCTION
(1 paragraphe)
Présentation du sujet : Ce dont on va parler.
Présentation des aspects qui seront traités dans le développement. Le nombre d'aspects peut varier (2, 3, 4, etc.).

PLAN DE L'INTRODUCTION

Présentation du sujet : _____

Présentation des aspects traités : _____

_____

_____

_____

_____

_____

Sujet B : Tu viens de quitter l'hôpital où tu as passé trois jours. Décris ton séjour.

Introduction

J'ai eu récemment un accident de ski et je me suis cassé une jambe. Je suis allé à l'hôpital et j'y suis resté trois jours. J'étais dans une grande chambre. Je la partageais avec deux autres enfants. Le médecin et les infirmières se sont très bien occupés de moi.

PLAN DE L'INTRODUCTION

Présentation du sujet : _____

Présentation des aspects traités : _____

_____

_____

_____

_____

_____

Le développement

LE DÉVELOPPEMENT
(1 paragraphe
par aspect)
Description de
chaque aspect
par des détails
(les sous-aspects).

3 Pour chaque sujet, complète le plan du développement.

Sujet A : Le kiwi

Introduction

Le kiwi est un délicieux fruit marron à pulpe verte originaire de Chine. Mais c'est aussi un oiseau bizarre et attendrissant. Il appartient au groupe des ratites dont l'autruche est la représentante la plus connue. Son physique et ses mœurs sont particuliers.

Développement

Les ratites vivent pour la plupart en Afrique, en Australie et en Nouvelle-Zélande. La principale caractéristique des ratites est qu'ils sont incapables de voler, leurs ailes étant trop petites. On les appelle aussi « oiseaux coureurs ».

De la taille d'une poule, le kiwi est le plus petit des ratites. Il mesure entre 35 et 45 cm et son poids varie de 2 à 3 kg. Ses plumes brunes ressemblent à du crin, comme celles de l'autruche. Il a des ailes très courtes, des petites pattes robustes et il est dépourvu de queue. Son bec, dont l'extrémité est munie de deux narines, est particulièrement long et effilé.

Le kiwi vit dans les forêts broussailleuses de Nouvelle-Zélande. Son menu est constitué de vers et de larves d'insectes, qu'il trouve, grâce à son odorat très développé, en fouillant le sol à l'aide de son bec. À l'occasion, il se nourrit de petits fruits, de grenouilles et d'anguilles. Cet animal nocturne, qui peut vivre plus de trente ans, passe la plus grande partie de sa vie en couple. Lorsque le nid est construit, sous des racines, dans des touffes d'herbes ou au creux des rochers, la femelle pond un gros œuf qui atteint presque le quart de son propre poids. Le mâle se chargera de couver l'œuf, de nourrir le petit et de veiller sur lui jusqu'à sa maturité, qui arrive seulement vers l'âge de cinq ans. Le kiwi n'a aucun moyen de défense, si ce n'est sa grande discrétion.

PLAN DU DÉVELOPPEMENT

1er aspect : Groupe des ratites

Sous-aspects

– aire de répartition : _____

– vol : _____

2e aspect : Aspect physique du kiwi

Sous-aspects

– taille : _____

– poids : _____

– plumes : _____

– ailes : _____

– pattes : _____

– queue : _____

– bec : _____

3e aspect : Mœurs

Sous-aspects

– habitat : _____

– nourriture : _____

– longévité : _____

– habitudes : _____

_____

_____

– moyen de défense : _____

Sujet B : Tu viens de quitter l'hôpital où tu as passé trois jours. Décris ton séjour.

Introduction

J'ai eu récemment un accident de ski et je me suis cassé une jambe. Je suis allé à l'hôpital et j'y suis resté trois jours. J'étais dans une grande chambre. Je la partageais avec deux autres enfants. Le médecin et les infirmières se sont très bien occupés de moi.

Développement

Ma chambre, éclairée par trois grandes fenêtres qui donnaient sur le stationnement de l'hôpital, était peinte en jaune citron. C'était une chambre à trois lits placés l'un à côté de l'autre. Lorsque l'on voulait être tranquille, on pouvait tirer un rideau qui faisait tout le tour du lit.

À ma gauche, le lit était occupé par Juliette, une petite fille de quatre ans qui pleurait sans arrêt. À ma droite, Sosthène, un garçon de mon âge, avait, comme moi, une jambe dans le plâtre. Pour consoler Juliette, Sosthène et moi, nous lui lisions des histoires à tour de rôle.

Tous les matins, un vieux médecin venait nous examiner. Il portait des lunettes, souriait tout le temps et nous racontait les mauvais coups de son chien Zut, qui était terriblement mal élevé. Les infirmières étaient toutes très gentilles. L'une d'elles, Louise, entrait dans la chambre en chantant et nous appelait ses petits lapinous.

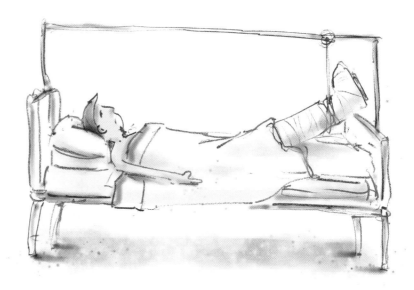

PLAN DU DÉVELOPPEMENT

1er aspect : _____

  Sous-aspects

  – _____

  – _____

  – _____

2e aspect : _____

  Sous-aspects

  – _____

  – _____

3e aspect : _____

  Sous-aspects

  – _____

  – _____

47

La conclusion

4 **Pour chaque sujet, complète le plan de la conclusion.**

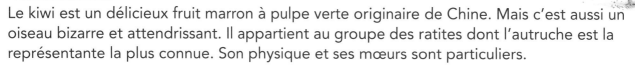

Sujet A : Le kiwi

Introduction

Le kiwi est un délicieux fruit marron à pulpe verte originaire de Chine. Mais c'est aussi un oiseau bizarre et attendrissant. Il appartient au groupe des ratites dont l'autruche est la représentante la plus connue. Son physique et ses mœurs sont particuliers.

Développement

Les ratites vivent pour la plupart en Afrique, en Australie et en Nouvelle-Zélande. La principale caractéristique des ratites est qu'ils sont incapables de voler, leurs ailes étant trop petites. On les appelle aussi « oiseaux coureurs ».

De la taille d'une poule, le kiwi est le plus petit des ratites. Il mesure entre 35 et 45 cm et son poids varie de 2 à 3 kg. Ses plumes brunes ressemblent à du crin, comme celles de l'autruche. Il a des ailes très courtes, des petites pattes robustes et il est dépourvu de queue. Son bec, dont l'extrémité est munie de deux narines, est particulièrement long et effilé.

Le kiwi vit dans les forêts broussailleuses de Nouvelle-Zélande. Son menu est constitué de vers et de larves d'insectes, qu'il trouve, grâce à son odorat très développé, en fouillant le sol à l'aide de son bec. À l'occasion, il se nourrit de petits fruits, de grenouilles et d'anguilles. Cet animal nocturne, qui peut vivre plus de trente ans, passe la plus grande partie de sa vie en couple. Lorsque le nid est construit, sous des racines, dans des touffes d'herbes ou au creux des rochers, la femelle pond un gros œuf qui atteint presque le quart de son propre poids. Le mâle se chargera de couver l'œuf, de nourrir le petit et de veiller sur lui jusqu'à sa maturité, qui arrive seulement vers l'âge de cinq ans. Le kiwi n'a aucun moyen de défense, si ce n'est sa grande discrétion.

Conclusion

Le kiwi est un oiseau à part, étrange et fidèle. Les Néo-Zélandais en ont fait leur emblème.

PLAN DE LA CONCLUSION

Résumé :

– **Retour sur le sujet :** _____

– **Retour sur les aspects :** _____

Idée nouvelle : _____

LA CONCLUSION

- Résumé qui consiste à rappeler le sujet et les aspects traités. Il permet au lecteur de savoir de quoi il a été question dans le texte.
- Idée nouvelle : une information supplémentaire dont on n'a pas parlé dans le texte, mais qui mérite d'être soulignée.

POUR T'AIDER

Sujet B : Tu viens de quitter l'hôpital où tu as passé trois jours. Décris ton séjour.

Introduction

J'ai eu récemment un accident de ski et je me suis cassé une jambe. Je suis allé à l'hôpital et j'y suis resté trois jours. J'étais dans une grande chambre. Je la partageais avec deux autres enfants. Le médecin et les infirmières se sont très bien occupés de moi.

Développement

Ma chambre, éclairée par trois grandes fenêtres qui donnaient sur le stationnement de l'hôpital, était peinte en jaune citron. C'était une chambre à trois lits placés l'un à côté de l'autre. Lorsque l'on voulait être tranquille, on pouvait tirer un rideau qui faisait tout le tour du lit.

À ma gauche, le lit était occupé par Juliette, une petite fille de quatre ans qui pleurait sans arrêt. À ma droite, Sosthène, un garçon de mon âge, avait, comme moi, une jambe dans le plâtre. Pour consoler Juliette, Sosthène et moi, nous lui lisions des histoires à tour de rôle.

Tous les matins, un vieux médecin venait nous examiner. Il portait des lunettes, souriait tout le temps et nous racontait les mauvais coups de son chien Zut, qui était terriblement mal élevé. Les infirmières étaient toutes très gentilles. L'une d'elles, Louise, entrait dans la chambre en chantant et nous appelait ses petits lapinous.

Conclusion

Finalement, mon séjour à l'hôpital s'est plutôt bien passé. Ma chambre était agréable, tout le monde était gentil avec moi. J'ai pu imaginer ce que c'est que d'avoir une petite sœur et je me suis fait un nouvel ami.

PLAN DE LA CONCLUSION
Résumé :
– Retour sur le sujet : _____ _____
– Retour sur les aspects : _____ _____
Idée nouvelle : _____ _____

La rédaction

5 Complète le plan ci-dessous, puis rédige un texte descriptif d'environ 200 mots.

Sujet : Imagine ce que tu seras devenu dans 20 ans et fais-en la description.

PLAN

INTRODUCTION

Présentation du sujet : moi dans 20 ans
Présentation des aspects traités : mon métier, ma famille, ma maison

DÉVELOPPEMENT

1er aspect : Mon métier

Sous-aspects

– quel métier ? _____

– les avantages : _____

– les inconvénients : _____

2e aspect : Ma famille

Sous-aspects

– mon époux (mon épouse) : _____

– mes enfants : _____

– mes parents : _____

3e aspect : Ma maison

Sous-aspects

– où elle est située : _____

– l'extérieur : _____

– l'intérieur : _____

CONCLUSION

Résumé :
– Retour sur le sujet : moi dans 20 ans.
– Retour sur les aspects : ma famille, mon métier, ma maison.

Idée nouvelle : _____

POUR T'AIDER

Plus le plan est détaillé, plus la rédaction sera facile. Après avoir fait le plan général, c'est-à-dire après avoir déterminé les aspects et les sous-aspects, tu dois ajouter les détails pour remplir le plan.

Exemple : – quel métier ? *chanteuse d'opéra*

_____

_____

_____

_____

_____

_____

_____

_____

_____

_____

_____

_____

_____

_____

_____

_____

_____

_____

_____

_____

_____

_____

_____

_____

POUR T'AIDER

- Lorsque tu rédiges un texte d'environ 200 mots, une ou deux phrases suffisent pour l'introduction, pour chaque sous-aspect et pour la conclusion.
- Un texte descriptif contient généralement un paragraphe pour l'introduction, un paragraphe pour chaque aspect et un autre pour la conclusion.
- Quand tu auras terminé ton texte, il faudra lui trouver un titre. Celui-ci devra refléter le contenu du texte et donner le goût de le lire.

6 Fais un plan et écris un texte descriptif d'environ 200 mots.

Sujet : Le loup

PLAN

INTRODUCTION

Présentation du sujet : _____

Présentation des aspects traités : _____

DÉVELOPPEMENT

1er aspect : _____

   Sous-aspects

   – _____

   – _____

   – _____

2e aspect : _____

   Sous-aspects

   – _____

   – _____

   – _____

   – _____

3e aspect : _____

   Sous-aspects

   – _____

   – _____

   – _____

   – _____

CONCLUSION

Résumé :

– Retour sur le sujet : _____

– Retour sur les aspects : _____

Idée nouvelle : _____

_____

_____

_____

_____

_____

_____

_____

_____

_____

_____

_____

_____

_____

_____

_____

_____

_____

_____

_____

_____

_____

_____

_____

_____

_____

_____

_____

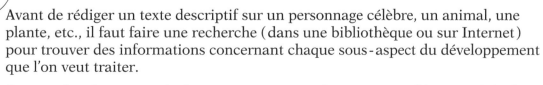

POUR T'AIDER

Avant de rédiger un texte descriptif sur un personnage célèbre, un animal, une plante, etc., il faut faire une recherche (dans une bibliothèque ou sur Internet) pour trouver des informations concernant chaque sous-aspect du développement que l'on veut traiter.

Cette recherche pourra également te permettre de trouver un élément original, curieux, amusant, anecdotique qui apportera une idée nouvelle dans la conclusion.

1 La syntaxe

La ponctuation

 1 a) Quel empoté, ce garagiste !
b) Pourquoi a-t-il changé les essuie-glaces alors que je lui avais demandé de vidanger l'huile ?
c) Je me demande à quoi il a pensé ! (ou : Je me demande à quoi il a pensé.)
d) Il a vérifié la boîte de vitesses, les freins, la pression des pneus, le parallélisme des roues, etc.
e) Je ne sais pas combien cela va me coûter.
f) Quand j'y pense, j'ai le goût de pleurer !
g) Quand les garagistes deviendront-ils plus fiables ?
h) Je n'ai pas de réponse à cette question.
i) Si tu savais comme j'ai hâte de trouver un bon garagiste !

 2 a) J'ai appris que le père d'Alaric Bergeron est garagiste et qu'il est très compétent.
b) « Monsieur Bergeron, je suis inquiet parce que le moteur fait un drôle de bruit. »
c) Le père d'Alaric Bergeron m'a promis qu'il vérifierait les freins.
d) Alaric aide souvent son père à ranger le garage ou à réparer les crevaisons.

 3 a) *Québec Soir* est-il un quotidien, un hebdomadaire, un bimensuel ou un mensuel ?
b) On y trouve des dossiers, des éditoriaux, des caricatures, des critiques de film, etc.
c) La semaine dernière, le camelot m'a livré le mauvais journal.
d) Depuis qu'elle est abonnée à *Québec Soir*, elle ne touche plus terre.
e) Arlette Coutu, une journaliste de *Québec Soir*, a gagné le prix David.
f) Notre envoyé spécial, qui est plutôt désordonné, a perdu son cellulaire.
g) Très en colère, monsieur Lepage, rédacteur en chef de *Québec Soir*, est devenu cramoisi, a bondi hors de son bureau, a réuni toute l'équipe et a fondu en larmes.
h) Soudain le téléphone a sonné, monsieur Lepage a parlé pendant quelques minutes, puis il a raccroché et tout est rentré dans l'ordre.

QUÉBEC SOIR

Les faits au service du savoir

Le mercredi 13 mars

2 $

UN MAMMOUTH AU MONT-SAINTE-ANNE !

Un chauffeur d'autobus se retrouve nez à nez avec un mammouth !

La pensée du jour

*La nuit, tous
les chats sont gris.*

L'enfant prodige de Rimouski

Il s'appelle Clovis Bureau-Huot, il est né à Rimouski. Hier, le 12 mars, c'était son anniversaire. Il vient d'avoir neuf ans. Clovis fait du ski, joue du violon, aime la lecture et adore taquiner sa sœur Marie. Bien qu'il ressemble à beaucoup de petits Québécois de son âge, Clovis n'est pas tout à fait comme les autres.

Alors que ses camarades terminent leur deuxième cycle du primaire, Clovis, lui, termine sa première année à la Faculté de médecine de l'Université de Montréal. Il sera médecin à l'âge de quatorze ans. Malheureusement, Clovis ne pourra pas exercer son art avant l'âge de dix-huit ans. Le petit génie, qui voue une véritable passion à l'écrivain Jacques Ferron, a déclaré à **Québec Soir** qu'il en profiterait pour faire un doctorat en littérature québécoise.

Tout commence vendredi, vers 9 h, lorsque monsieur Girard, chauffeur d'autobus scolaire, rentre de sa tournée du matin. « J'habite en dehors du village dans une maison assez isolée, a-t-il déclaré à **Québec Soir**.

Après avoir stationné mon autobus derrière la remise, je m'apprêtais à rentrer dans la maison, lorsque j'ai entendu un drôle de bruit, comme si quelqu'un reniflait très fort. C'est en me retournant que j'ai vu la bête. Un énorme éléphant avec de longs poils bruns et des cornes qui devaient mesurer au moins un mètre chacune. Il n'avait pas l'air commode. Je suis rentré dans la maison à reculons, comme il faut faire quand on rencontre un ours. J'ai téléphoné tout de suite aux pompiers. Mais, manifestement, ils ne me croyaient pas. C'est alors que j'ai pensé prendre une photo. Bien entendu, quand les pompiers sont enfin arrivés, l'animal avait disparu. »

Comme vous pouvez le constater sur la photo ci-dessus, le monstre de monsieur Girard est bel et bien un mammouth rescapé des temps préhistoriques. Les autorités ont déjà pris les mesures qui s'imposent pour protéger la population.

Les principales erreurs de syntaxe

1) Je n'ai jamais su ce qui lui était arrivé.
2) Quand on n'est pas attentif, on risque de tomber dans un piège.
3) Il parlait si vite que personne ne comprenait.
4) Si mes amis me voyaient, ils n'en reviendraient pas.
5) Jérémie Boulet ne comprend pas ce que tu lui reproches.
6) Elle pleurait parce qu'elle se sentait abandonnée.
7) On n'avait même pas eu le temps de se reposer deux minutes.
8) Je n'ai vu personne arriver.
9) Si tu voulais, nous partirions en voyage.
10) Madame Létourneau sait toujours ce qui me fait plaisir.
11) Si j'étais un oiseau, je nicherais dans un bouleau.
12) Quand on n'apprécie pas son humour, il se fâche.
13) Savez-vous ce qui s'est passé ?
14) Je suis tombé parce qu'il ventait à décorner cinq cent mille bœufs.
15) S'il faisait beau, je construirais un radeau.
16) On ne sait jamais ce que pense Jérémie Boulet.
17) Jérémie est en colère parce que tu ne l'as pas invité.
18) Si l'amour prenait racine, j'en planterais.
19) La maison dont tu parles appartient à madame Létourneau.
20) Madame Létourneau est allée à Kiev, à Moscou et à Saint-Pétersbourg.

21) Lisette et moi avons réussi à nous débarrasser de la moufette.
22) Jérémie Boulet est allé en Espagne, en Italie et en Grèce.
23) Il lui est arrivé une aventure dont il se souviendra longtemps.
24) « Allons nous promener ! » dit Jérémie.
25) Regarde ! C'est le chien dont je t'ai parlé.
26) Il a écrit à sa mère, à son frère et à sa sœur.
27) Demain, nous devons nous lever tôt.
28) Prenez toutes les couvertures dont vous avez besoin.
29) Nous n'avons pas besoin de nous dépêcher.
30) Il a rapporté des souvenirs de Madrid, de Rome et d'Athènes.
31) Jérémie et moi allons nous rencontrer en Italie.
32) Madame Létourneau donnait des cours de chant, de violon, de flûte et de hautbois.
33) Nous sommes partis à la campagne pour nous reposer.
34) Jérémie Boulet était très fort en calcul, en histoire et en géographie.
35) Nous avons décidé de nous marier.
36) Jérémie Boulet porte des chaussettes de laine ou de coton.

2 La cohérence du texte

Les mots de relation

a) Deux policiers venaient d'immobiliser leur voiture-patrouille le long de la rue… | car… / et… / donc… | avançaient vers nous.

b) Ils s'y connaissent sûrement en informatique… | mais… / pendant qu'… / puisqu'… | ils ont un site Web.

c) Isabelle n'avait pas l'air convaincue… | parce que… / mais… / pendant que… | je ne pouvais pas lui en vouloir.

d) Isabelle allait sûrement insister… | bien que… / pour que… / pendant que… | je me rende aux policiers.

e) J'enfilai mon manteau et plaçai mon sac sur mon dos… | grâce à… / afin d'… / mais… | être libre de mes mouvements.

2

a) Le noir me fait peur, **mais** la lumière est encore pire, elle risque d'attirer l'attention sur nous.
b) À tâtons, il cherche la portière, la trouve **et** l'ouvre doucement.
c) La portière de la voiture est restée ouverte **et** la veilleuse nous donne un peu de lumière.
d) Il ne s'agit pas d'une lampe, **mais** tout simplement de la clarté de la lune.
e) J'ai cru que l'assassin venait de nous repérer **et** qu'il nous tendait un piège.
f) Ça saigne beaucoup, c'est impressionnant, **mais** ça n'a rien de grave.
g) Nous aidons Geneviève à s'installer sur le canapé **et** nous essayons de réfléchir.

---

h) Les questions se bousculent dans nos têtes, **mais** nous n'avons aucun moyen d'y répondre.
i) La lune se découpe clairement dans l'encadrement d'une fenêtre **et** nous envoie sa lumière blafarde.
j) Mon père m'a bien dit que monsieur Larsen était un peu spécial, **mais** de là à en faire un trafiquant…
k) La menace du mystérieux meurtrier est provisoirement écartée, **mais** nous ne sommes pas pour autant sortis de ce mauvais pas.

3

a) **Grâce au** courage de monsieur Ernest, les voleurs furent démasqués.
b) Il distingua les mouvements du suspect **grâce à** la lueur du réverbère.
c) **À cause de** leur impatience, leur plan avait échoué.
d) Le voleur avait glissé du toit **à cause du** verglas.
e) Il avait vite guéri **grâce aux** bons soins de madame Blandine.
f) **À cause de** la foule qui paniquait, monsieur Ernest les avait perdus de vue.
g) Pourtant, **grâce à** son intuition, on avait retrouvé les bandits.
h) **Grâce à lui**, la ville était débarrassée de ces malotrus.
i) Monsieur Ernest était connu de tous **grâce à** son bon caractère.
j) Monsieur Ernest était connu de tous **à cause de** son mauvais caractère.

4 Exemples de réponses :
a) Victor était bien gentil, mais **il était un peu menteur.**
b) **Victorine aimait Victor,** mais il l'énervait parfois.
c) Victor adorait les biscuits et **il en mangeait sans arrêt.**
d) **Victorine avait préparé une soupe aux choux** et elle en offrait à la cantonade.
e) **Victor pleurait,** car il s'était fait mal.
f) Victorine avait rougi, car **elle était très mal à l'aise.**
g) Victor était l'ami de tous ses voisins, Victorine était sa voisine, donc **Victor était son ami.**
h) **Victorine rêvait toujours quand elle dormait, elle dormait en ce moment,** donc elle rêvait.
i) Victor riait pendant que **Victorine chantait.**
j) Victorine se bouchait les oreilles pendant que **Victor jouait du trombone.**
k) Puisque c'est comme ça, **je retourne chez moi.**
l) Victorine s'était tue puisque **personne ne l'écoutait.**

5 a) Un renard peut vivre environ cinq ans. **Cependant,** on a déjà vu des individus âgés de quatorze ans.
b) Le renard habite dans un terrier bien dissimulé. **Quand** il se sent découvert, le renard déménage.
c) Le renard est très rusé. **Ainsi,** il lui arrive de se cacher dans du fumier pour déjouer ses poursuivants.

6 **L'ours et le renard**
Le renard s'approcha d'un tepee, et voyant un poisson en train de cuire sur des braises rouges, il le vola et se sauva au plus vite. Il était fier d'avoir pu à si bon compte se procurer un bon repas.
Tout à coup, il aperçut l'ours qui arrivait en se dandinant. Et flip! et flop! et flip! et flop! Notre renard grimpa dans le premier arbre venu et commença à manger son poisson en faisant le plus de bruit possible avec ses mâchoires : et miam! et re-miam! et miam! et re-miam!
Lorsque l'ours, toujours en se dandinant, arriva sous l'arbre, le renard lui lança un petit bout de poisson cuit sur la tête.

7 Exemples de réponses :
a) L'ours noir se nourrit de plantes, d'insectes **et** de petits mammifères.
b) Il adore le miel, **c'est pourquoi** il cause souvent des dégâts aux ruches.
c) **Bien qu'**il ait l'air pataud, il peut courir à une vitesse de 55 km/h.

8 Exemples de réponses :
a) En général, la femelle donne naissance à deux oursons. **Pourtant,** on a déjà vu une ourse avoir une portée de cinq petits.
b) L'ours noir hiberne. **En effet,** l'hiver, sa température corporelle diminue et son rythme cardiaque ralentit.

9 Exemple de réponse :
C'était une belle journée d'été chaude et douce. Un ours noir se prélassait dans un champ et, depuis des heures, se gavait de bleuets.
Soudain, il entendit un craquement. L'ours releva la tête et se trouva nez à nez avec un renard roux qui passait par là. L'ours fut si surpris qu'il figea sur place. Le renard en profita pour déguerpir.

Le temps des verbes

10 Kankan **est** une sorte de monstre hybride, à mi-chemin entre l'homme et l'oiseau, et l'on **dit** de lui qu'il **a** un jour, on ne sait trop comment, surgi du néant. Le corps de Kankan **est** constitué d'un assemblage tout à fait bizarre : de longues pattes effilées comme celles de la cigogne **supportent** un buste humain dont le cou musclé se **termine** par une tête de hibou. […]
Kankan **est** propriétaire d'un grand champ marécageux. Un jour, il **décide** de mettre en valeur son champ envahi par la mauvaise herbe. Mais parce qu'il **est** paresseux de nature, l'étrange Kankan **a** l'idée de faire défricher son champ par d'autres que lui en organisant une « Owé ».
Durant cette journée de travail collectif et gratuit, les seules choses dues à ses hôtes **seront** les boissons et le repas.
En fait, Kankan **a** une tout autre idée derrière la tête.

11 M. Hoppy **vivait** seul. Il **avait** toujours **été** un homme solitaire, et maintenant qu'il **avait pris** sa retraite, il **était** plus seul que jamais.
M. Hoppy **avait** deux passions dans la vie. La première, pour les fleurs qu'il **cultivait** sur son balcon.
La seconde passion de M. Hoppy **était** un secret qu'il **gardait** au plus profond de son cœur.
Le balcon qui se **trouvait** à l'étage inférieur **était** celui d'une charmante femme entre deux âges, du nom de Mme Silver ; elle **était** veuve et **vivait** seule, elle aussi. Elle ne le **savait** pas, bien sûr, mais c'**était** elle l'objet de l'amour secret de M. Hoppy. Il l'**aimait** depuis de longues années déjà, mais jamais il n'**avait pu** se décider à lui donner le moindre témoignage de sa flamme.
S'il **accomplissait** une action d'éclat, cela **ferait** de lui un héros aux yeux de Mme Silver ! Voilà ce qu'il **fallait**…
Or, un beau matin de mai **survint** un événement qui **transforma**, ou plutôt **bouleversa**, la vie de M. Hoppy.

L'emploi fautif des pronoms il(s) ou tu

12 Entourer b, c et d.

13 a) Les pêcheurs appréciaient la graisse des grands pingouins. **Ils** les **ont chassés** jusqu'au 19ᵉ siècle.

b) **On a pêché** de telles quantités de morue qu'elle se fait de plus en plus rare.

c) Au musée national d'histoire naturelle de Washington, **on a exposé** un fossile de glyptodon.

d) « Est-ce que **tu as écouté** quand je t'ai parlé des grands pingouins ? » demande Mathilde à Raoul.

e) Lorsque les enfants ont aperçu le mammouth, **ils se sont sauvés** en hurlant.

f) Raoul dit à Germaine : « **Tu as vu**, il a bougé ! »

g) Lucy regarde la peinture faite par son mari et lui dit : « **Tu as dessiné** un bien joli mammouth ! »

h) **On a découvert** des fresques représentant des mammouths sur les parois de la grotte de Lascaux, en France.

③ Le style

Éviter les répétitions

1 A. Les Français ne sont pas les premiers Européens venus explorer l'Amérique du Nord. Les Vikings avant <u>les Français</u> avaient <u>exploré</u> <u>l'Amérique du Nord</u>. <u>Les Vikings</u> ont d'ailleurs laissé des traces de leur passage au Labrador et à Terre-Neuve.

B. Les Français ne sont pas les premiers Européens venus explorer l'Amérique du Nord. Les Vikings avant <u>eux</u> avaient <u>parcouru</u> <u>ce continent</u>. Ils ont d'ailleurs laissé des traces de leur passage au Labrador et à Terre-Neuve.

A. Vers l'an mille, le Viking Erik le Rouge est chassé d'Islande pour avoir commis un meurtre. <u>Le Viking Erik le Rouge</u> prend donc la mer avec sa femme et ses enfants. Au bout d'un long voyage, <u>le Viking Erik le Rouge avec sa femme et ses enfants</u> arrive au Groenland et s'installe au <u>Groenland</u>.

B. Vers l'an mille, le Viking Erik le Rouge est chassé d'Islande pour avoir commis un meurtre. <u>Il</u> prend donc la mer avec sa femme et ses enfants. Au bout d'un long voyage, <u>la famille</u> arrive au Groenland et s'<u>y</u> installe.

2 a) Lors de leur voyage, les Vikings emmènent des chiens, des moutons, des cochons et même des vaches et des chevaux. <u>Les Vikings</u> remplissent les navires d'énormes quantités de vivres afin de nourrir <u>les chiens, les moutons, les cochons, les vaches et les chevaux</u> pendant le <u>voyage</u>.

Lors de leur voyage, les Vikings emmènent des chiens, des moutons, des cochons et même des vaches et des chevaux. **Ils** remplissent les navires d'énormes quantités de vivres afin de nourrir **les animaux** pendant **la traversée**.

b) Les Vikings s'installent pour quelque temps au Labrador et à Terre-Neuve. En 1886, on a retrouvé des traces du passage des <u>Vikings</u> <u>au Labrador et à Terre-Neuve</u>. Mais <u>les Vikings</u> ne restent pas longtemps, car des conflits opposent <u>les Vikings</u> aux autochtones.

Les Vikings s'installent pour quelque temps **en Amérique du Nord**. En 1886, on a retrouvé des traces **de leur** passage au Labrador et à Terre-Neuve. Mais **ils** ne restent pas longtemps, car des conflits **les** opposent aux autochtones.

Employer des mots précis

3 a) Mathilde voudrait **se procurer** un billet pour le gala sportif de l'école.

b) Comme elle **jouit d'**une bonne santé, sa mère lui permet d'y assister.

c) Lisette, sa meilleure amie, **porte** sa robe des grandes occasions.

d) Lucrèce, sa pire ennemie, est coiffée d'un turban qui **mesure** deux mètres.

e) C'est Lisette qui **gagne** (ou **obtient**) le prix de participation.

f) Lucrèce, elle, **obtient** (ou **gagne**) la médaille d'or.

g) Lisette essaie de cacher la déception qu'elle **éprouve**.

h) « Lucrèce **détient** le record de stupidité », dit Mathilde.

4 a) Un embouteillage **bloque** la rue Girouard.

b) Un avion **vole** dans le ciel.

c) De la glace **recouvre** le trottoir.

d) À quelle heure **commence** le spectacle ?

e) Une différence **existe** entre eux.

f) Un homme **se tient** devant la porte.

5 a) Il m'est arrivé une **aventure** extraordinaire !

b) La soupe à l'oignon est **un plat** que je déteste !

c) Le marteau est **un outil** indispensable dans une maison.

d) À l'école, la **matière** que je préférais était l'éducation physique.

e) La maladie de Barbara était une **épreuve** terrible pour sa mère.

Éviter les pléonasmes

Éviter les anglicismes

Enrichir les phrases

8) Exemples de réponses :
a) Une **jeune** fille attend.
b) Les **petits** oiseaux font leur nid.
c) La **grande** porte s'ouvre.

9) a) Une jeune fille attend **sagement**.
b) Les petits oiseaux font leur nid **rapidement**.
c) La grande porte s'ouvre **soudain**.

10) a) Une jeune fille **en robe longue** attend sagement.
b) Les petits oiseaux **du parc** font leur nid rapidement.
c) La grande porte **du château** s'ouvre soudain.

11) a) **Devant la maison,** une jeune fille en robe longue attend sagement.
b) **Quand vient le printemps,** les petits oiseaux du parc font leur nid rapidement.
c) **Trois heures plus tard,** la grande porte du château s'ouvre soudain.

Varier les phrases

12) a) La petite fille qui marche dans la nuit est paralysée par la peur.
(ou : La petite fille, qui est paralysée par la peur, marche dans la nuit.)
b) Clothilde, qui perdit l'équilibre, tomba dans l'eau.
c) Un gros chien, qui arrive en trombe, aperçoit l'enfant.
(ou : Un gros chien qui aperçoit l'enfant arrive en trombe.)

13) a) La petite fille, **marchant** dans la nuit, est paralysée par la peur.
(ou : **Marchant** dans la nuit, la petite fille est paralysée par la peur.)
b) Clothilde, **perdant** l'équilibre, tomba dans l'eau.
(ou : **Perdant** l'équilibre, Clothilde tomba dans l'eau.)
c) Un gros chien, **arrivant** en trombe, aperçoit l'enfant.
(ou : **Arrivant** en trombe, un gros chien aperçoit l'enfant.)

(59)

4 Le texte narratif

Le plan

1

QUÉBEC SOIR

Les faits au service du savoir

Le lundi 16 juillet   2 $

JONAS DES TEMPS MODERNES

La semaine dernière, à Tadoussac, Jonas Laliberté, accompagné de ses parents et de sa petite sœur, embarque sur le *Louis-Joliette* pour une croisière sur le Saint-Laurent. C'est un temps magnifique pour l'observation des baleines. Jonas, qui a dix ans, n'a jamais vu de baleines. Il est heureux.

Au bout de quelques heures, aucun de ces mastodontes ne s'est manifesté. Jonas et sa petite sœur, Géraldine, commencent à s'ennuyer. Ils décident d'aller faire un tour sur le pont arrière du bateau. En marchant, Jonas lance en l'air la balle qu'il a toujours sur lui, de plus en plus fort, de plus en plus haut.

Mais un brusque coup de vent fait dévier la balle. Jonas se précipite pour la rattraper. Il ne voit pas les cordages qui traînent sur le pont. Il trébuche, tente en vain de s'accrocher au premier garde-fou, glisse sous le bastingage et, sous le regard horrifié de sa petite sœur, tombe à la mer. Une chute de près de quinze mètres dans l'eau glacée !

Un matelot, qui a assisté à la scène, plonge aussitôt pour récupérer l'enfant qui vient de disparaître dans les flots. C'est le branle-bas de combat ! Les parents de Jonas et les autres

Photo : Stéphane J. Bourrelle

passagers, alertés par les hurlements de Géraldine, arrivent en courant. Le père de Jonas plonge à son tour pour sauver son fils. On lance des bouées de sauvetage, on met un canot à l'eau.

Soudain, quelqu'un s'écrie : « Le voilà ! Je le vois ! Il est là-bas ! » Et en effet, à quelque cinquante mètres à bâbord, on aperçoit Jonas qui a refait surface et se débat énergiquement.

C'est alors que tous assistent à une scène digne des pires cauchemars : une baleine bleue, surgissant de nulle part, s'approche de Jonas, ouvre son énorme bouche et avale le pauvre garçon.

Un silence de plomb s'abat sur le navire. De mémoire de marin, on n'a jamais vécu un tel drame. Mais il faut se rendre à l'évidence, Jonas est bel et bien dans le ventre de la baleine. Rien ni personne ne pourra le sauver.

Et pourtant ! un miracle a eu lieu, hier, aux Îles de la Madeleine. Gilbert Lagacé, 37 ans, pêcheur à Cap-aux-Meules, est en train de relever ses filets lorsqu'il remarque le comportement bizarre d'une baleine qui, près de la rive, crache quelque chose sur le sable.

C'est le petit Jonas Laliberté en chair et en os, un peu amaigri, mais bel et bien vivant, dont l'incroyable disparition a ému le monde entier il y a trois jours.

La situation initiale

Sujet A. PLAN DE LA SITUATION INITIALE
Où ? **Près de la salle du cours de danse**
Quand ? **Un samedi matin d'octobre**
Qui ? **Espérance**
Quoi ? **Elle attend**

Sujet B. PLAN DE LA SITUATION INITIALE
Où ? **Dans un bureau**
Quand ? **Un soir de janvier**
Qui ? **Monsieur Martel**
Quoi ? **Il réfléchit à une histoire de collier volé**

Le déroulement

Sujet A. PLAN DU DÉROULEMENT
L'élément déclencheur : **Espérance aperçoit un fil sur son genou.**
Les péripéties : **Elle tire sur le fil et un trou se forme.**
Elle panique.
Elle fouille dans son sac.
Elle trouve un feutre noir.
Le dénouement : **Elle colorie son genou en noir.**

Sujet B. PLAN DU DÉROULEMENT
L'élément déclencheur : **Le téléphone de monsieur Martel vibre.**
Les péripéties : **Un inconnu donne une énigme à monsieur Martel pour qu'il retrouve le collier.**
La communication est coupée.
Monsieur Martel réfléchit à la question.
Le dénouement : **Monsieur Martel trouve la clé de l'énigme.**

La situation finale

Sujet A. PLAN DE LA SITUATION FINALE
Personne ne s'aperçoit de rien.

Sujet B. PLAN DE LA SITUATION FINALE
Monsieur Martel retrouve le collier.

La rédaction

Exemple de réponse :

Ça sent la coupe !

Situation initiale
Dans l'aréna, l'atmosphère est survoltée. Mathias, le capitaine des Sabres, est à la mise au jeu en zone adverse. Il reste une minute à jouer en troisième période. Le compte est égal deux à deux.

Déroulement

L'élément déclencheur
L'entraîneur des Sabres décide alors de jouer le tout pour le tout. Il enlève son gardien de but et le remplace par un sixième joueur. C'est risqué, mais cela peut réussir.

Péripéties
Mathias gagne la mise au jeu et envoie la rondelle derrière lui ! Mais voilà que celle-ci se faufile entre les défenseurs et glisse lentement mais sûrement vers le filet désert. Aussitôt, Fardad, le patineur le plus rapide des Sabres, s'élance à toute vitesse. Les spectateurs retiennent leur souffle. Alors, au moment même où la rondelle va traverser la ligne rouge des buts, Fardad se jette à plat ventre et, du bout du bâton, réussit à la faire dévier.

Dénouement
Il se relève, et, déjouant tout le monde, se retrouve en zone adverse. Il fait une magnifique passe à Mathias qui, posté devant le filet, n'a qu'à pousser la rondelle derrière le gardien.

Situation finale
La sirène retentit, le match est terminé. Les Sabres ont gagné. C'est l'euphorie sur la glace et dans les gradins. Les Sabres viennent d'accéder à la finale provinciale.

Exemple de réponse :

Avril a disparu

Situation initiale
Depuis des années, Germaine vit seule à la campagne avec ses dix-huit chats. Un soir d'automne, alors que le soleil s'apprête à se coucher, Germaine compte ses chats pour vérifier qu'ils sont tous bien rentrés.

Déroulement

Élément déclencheur
Quatorze, quinze, seize, dix-sept... Quatorze, quinze, seize, dix-sept… dix-sept ! Germaine refait le tour de la maison, inspecte tous les recoins, compte de nouveau ses chats. Elle arrive toujours à dix-sept. Il manque un chat ! C'est Avril, la petite chatte grise, qui a disparu.

Péripéties
Germaine est très inquiète. Avril n'a pas l'habitude de rester dehors si tard. Il est sûrement arrivé quelque chose. Germaine fait les cent pas dans la cuisine, puis elle s'installe dans sa chaise berçante, près de la fenêtre, pour faire le guet. Les heures passent et Germaine finit par s'endormir.

Dénouement
Soudain, elle se réveille en sursaut. Elle a entendu un léger grattement à la porte d'entrée. Elle se précipite et ouvre la porte. Sur le palier, Avril est là, tenant par la peau du cou un chiot d'à peine une semaine.

Situation finale
Enfin, tout s'explique : Avril n'a pas voulu abandonner ce chiot perdu. Germaine, pour faire plaisir à sa chatte, adopte son « bébé » et puisque nous sommes le premier jour de la semaine, elle décide de l'appeler Lundi.

7 Exemple de réponse :

PLAN

LA SITUATION INITIALE
Où ?   Dans un pays lointain
Quand ? Il y a bien longtemps
Qui ?   Un roi
Quoi ?   Il souhaite avoir des petits-enfants.

LE DÉROULEMENT
L'élément déclencheur : Le roi envoie ses fils se chercher une
                        épouse.

Les péripéties
– L'aîné trouve une belle princesse.
– Le second trouve une jeune fille intelligente.
– Le troisième trouve une grenouille.

Le dénouement : La grenouille se transforme en princesse.

LA SITUATION FINALE : Le roi a des petits-enfants.

Le roi qui voulait des petits-enfants

Il y a bien longtemps, dans un pays lointain, vivait un roi qui avait trois fils. Il se faisait vieux et il se désolait de ne pas avoir encore de petits-enfants.

Un jour, le roi appela ses fils et leur dit : « Mes enfants, il est temps de vous marier. Prenez vos arcs, allez sur les remparts et lancez une flèche en direction du soleil couchant. Là où elle tombera se trouve votre épouse. »

La flèche du fils aîné tomba dans la cour d'un château où elle fut ramassée par une ravissante princesse.

Celle du second fils tomba dans le champ d'un paysan où elle fut trouvée par la plus vive et la plus intelligente de ses filles.

La flèche du plus jeune tomba dans une mare d'eau sale et croupie. Une grenouille verte et gluante l'avait attrapée et la tenait entre ses pattes.

Quand le roi apprit ce qui était arrivé à son plus jeune fils, il lui dit : « Mon garçon, le destin a décidé que tu épouserais cette créature, tu dois l'accepter ! » Ainsi, le dimanche suivant, une grande réception fut organisée pour célébrer le mariage des trois princes.

Lorsque le prince passa l'anneau à la patte de la grenouille, celle-ci se transforma aussitôt en une belle princesse vive et intelligente.

Quelques années plus tard, le roi, au comble du bonheur, apprenait le tir à l'arc à ses dix petits enfants.

5 Le texte descriptif

Le plan

1  LE COUSCOUS

Le couscous est un plat arabe composé de semoule de blé, de viande et de légumes. Mais c'est aussi un animal étrange et attachant. Il appartient au groupe des marsupiaux dont le kangourou et le koala sont les représentants les plus connus. L'aspect physique du couscous et son comportement méritent qu'on s'y attarde quelque peu.

Les marsupiaux sont apparus il y a cent millions d'années. Ils vivent pour la plupart en Australie et en Nouvelle-Guinée. Un marsupial, à la naissance, mesure environ un centimètre et son développement est loin d'être terminé. La femelle possède une poche abdominale dans laquelle elle allaite le petit jusqu'à ce qu'il soit capable de se nourrir seul.

Physiquement, le couscous ressemble à la fois à un singe et à un ourson. Adulte, il mesure environ 87 cm et pèse près de 4 kg. L'épaisse fourrure du mâle est beige à taches brunes, alors que celle de la femelle est unie : fauve, blanche, grise ou brune. Les mains et les pieds du couscous sont très puissants et sa longue queue préhensile est dépourvue de poils.

Le couscous habite dans des forêts denses où il passe les huit à douze ans de sa vie dans le feuillage épais des arbres. Le jour, il dort caché dans le creux des branches, immobile et presque invisible. La nuit, il se déplace en s'accrochant aux branches grâce à ses griffes et à sa queue, afin de trouver des feuilles, des insectes, des œufs ou des petits oiseaux dont il se nourrit. C'est un animal craintif et timide qui ne se laisse pas approcher. Quand il se sent menacé, il dégage une forte odeur nauséabonde.

Le couscous est un marsupial discret qui ressemble à un ours en peluche. C'est aujourd'hui un animal protégé, car il a été abondamment chassé pour sa fourrure.

L'introduction

2 **Sujet A.**
PLAN DE L'INTRODUCTION
Présentation du sujet : **le kiwi**
Présentation des aspects traités : **le groupe des ratites, le physique du couscous, ses mœurs**

Sujet B.
PLAN DE L'INTRODUCTION
Présentation du sujet : **un séjour de trois jours à l'hôpital**
Présentation des aspects traités : **la chambre, les autres enfants, le personnel médical**

Le développement

3 **Sujet A. PLAN DU DÉVELOPPEMENT**

1er aspect : Groupe des ratites
Sous-aspects
– aire de répartition : **Afrique, Australie, Nouvelle-Zélande**
– vol : **incapables de voler**

2e aspect : Aspect physique du kiwi
Sous-aspects
– taille : **35 à 45 cm**
– poids : **2 à 3 kg**
– plumes : **brunes, ressemblent à du crin**
– ailes : **courtes**
– pattes : **petites, robustes**
– queue : **pas de queue**
– bec : **muni de 2 narines, très long et effilé**

3e aspect : **Mœurs**
Sous-aspects
– habitat : **forêts broussailleuses, Nouvelle-Zélande**
– nourriture : **larves d'insectes, petits fruits, grenouilles, anguilles**
– longévité : **plus de 30 ans**
– habitudes : **nocturne, vit en couple, construit son nid dans des touffes d'herbes ou au creux des rochers, la femelle pond un œuf pesant le quart de son poids, le mâle couve l'œuf, nourrit le petit, sa maturité arrive à l'âge de 5 ans.**
– moyen de défense : **aucun**

Sujet B. Plan du développement

1er aspect : **La chambre**
Sous-aspects
– **l'éclairage**
– **la couleur des murs**
– **les lits**

2e aspect : **Les autres enfants**
Sous-aspects
– **une petite fille**
– **un garçon**

3e aspect : **Le personnel médical**
Sous-aspects
– **le médecin**
– **les infirmières**

La conclusion

Sujet A. Plan de la conclusion
Résumé :
– Retour sur le sujet : **le kiwi**
– Retour sur les aspects : **un oiseau à part, étrange, fidèle**
Idée nouvelle : **emblème de la Nouvelle-Zélande**

Sujet B. Plan de la conclusion
Résumé :
– Retour sur le sujet : **mon séjour à l'hôpital**
– Retour sur les aspects : **chambre agréable, tout le monde était gentil**
Idée nouvelle : **j'ai pu imaginer ce que c'est d'avoir une petite sœur, je me suis fait un ami.**

La rédaction

Exemples de réponses :

PLAN

Introduction
Présentation du sujet : moi dans 20 ans.
Présentation des aspects traités : mon métier, ma famille, ma maison.

Développement

1er aspect : Mon métier
Sous-aspects
– quel métier ? **chanteuse d'opéra**
– les avantages : **voyager et me coucher tard**
– les inconvénients : **le moindre rhume m'empêche de travailler.**

2e aspect : Ma famille
Sous-aspects
– mon époux (mon épouse) : **j'ai un mari.**
– mes enfants : **j'ai deux enfants, un garçon et une fille.**
– mes parents : **mes parents viennent garder les enfants lorsque je suis en tournée.**

3e aspect : Ma maison
Sous-aspects
– où elle est située : **à la campagne**
– l'extérieur : **petite, blanche, avec une galerie tout autour**
– l'intérieur : **les pièces sont de différentes couleurs, il y a des plantes et des fleurs.**

Conclusion
Résumé :
– Retour sur le sujet : **moi dans 20 ans**
– Retour sur les aspects : **ma famille, mon métier, ma maison**
Idée nouvelle : **je devrai faire encore beaucoup de français et de mathématiques.**

Vingt ans après

Introduction
L'autre jour, nous étions au cours de musique et les élèves n'arrêtaient pas de chahuter. Je déteste cela, car j'aime beaucoup la musique. Alors, je me suis mise à rêvasser à ce que je serai dans vingt ans, à imaginer comment seront mon métier, ma famille, ma maison.

Développement

1er aspect
Je suis enfin devenue ce que je désire le plus au monde : une chanteuse d'opéra. Cela me permet de voyager partout dans le monde, à Paris, à Rome, à Moscou. De plus, comme la plupart des représentations ont lieu le soir, ce métier me convient parfaitement, car je suis incapable de m'endormir avant 11h. Cependant, être chanteuse d'opéra comporte un inconvénient majeur : le moindre petit rhume m'empêche de travailler.

2e aspect
Depuis trois ans, je suis mariée et mon mari aussi aime beaucoup la musique. Nous avons deux enfants, un garçon et une fille. Comme mes enfants sont encore petits, ils m'accompagnent souvent en tournée. Mais lorsque c'est impossible, mes parents viennent les garder à la maison.

3e aspect
Pour ne déranger personne quand je fais des vocalises, j'habite à la campagne. Nous avons une petite maison blanche entourée d'une large galerie. À l'intérieur, chaque pièce est peinte d'une couleur différente. Il y a des plantes et des fleurs partout.

Conclusion
Je ne sais pas si plus tard je deviendrai chanteuse d'opéra, si j'aurai un mari, des enfants ni où j'habiterai. Mais ce dont je suis sûre, c'est qu'il me faudra encore longtemps faire du français et des mathématiques.

6 Exemples de réponses :

L'INTRODUCTION

Présentation du sujet : **le loup**
Présentation des aspects traités : **la famille des canidés, l'aspect physique, le comportement**

DÉVELOPPEMENT

1er aspect : **La famille des canidés**
Sous-aspects
– origine : **depuis le début de l'humanité**
– aire de répartition : **tous les continents**
– quelques membres de la famille : **renard, chacal, coyote**
– caractéristiques physiques : **habiles coureurs, griffes non rétractiles**

2e aspect : **Aspect physique du loup**
Sous-aspects
– taille : **hauteur au garrot : 75 cm**
– longueur, du museau au bout de la queue : **1,70 m**
– poids : **en moyenne 40 kilos**
– vitesse de course : **70 km/h**
– couleur du pelage : **gris, roux, blanc**

3e aspect : **Comportement**
Sous-aspects
– aire de répartition : **Asie, Amérique du Nord (Québec)**
– longévité : **une dizaine d'années**
– habitat : **tanière, territoire de chasse de 300 km²**
– vie sociale : **meute de 7 à 10 individus, le chef protège la meute et fonde une famille.**

CONCLUSION

Résumé :
– Retour sur le sujet : **le loup**
– Retour sur les aspects : **canidés, aspect physique du loup et comportement**

Idée nouvelle : **le loup ne mérite pas sa mauvaise réputation.**

Le loup

Introduction

Le loup appartient à la famille des canidés, dont le chien est le représentant le plus apprécié des humains. Mais si le physique du loup et celui du chien se ressemblent, leurs comportements sont bien différents.

Développement

1er aspect

Les canidés existent depuis l'aube de l'humanité et sont présents sur tous les continents. En plus du chien et du loup, cette famille comprend le renard, le chacal et le coyote. Tous sont d'habiles coureurs. Leurs griffes, contrairement à celles des félins, ne sont pas rétractiles.

2e aspect

Un loup adulte a un peu l'allure d'un berger allemand. Il mesure près de 80 cm au garrot et 1 m 70 du museau au bout de la queue. Il pèse en moyenne 45 kilos. Le loup est très doué pour la course, sa vitesse de pointe pouvant facilement atteindre 70 km/h. Selon la région où il vit, la couleur de son pelage bien fourni varie : il peut être roux, gris ou blanc.

3e aspect

On trouve des loups en Asie et en Amérique du Nord, notamment ici, au Québec. En liberté, un loup peut vivre en moyenne une dizaine d'années, s'abritant dans une tanière et occupant un territoire de chasse qui couvre plus de 300 km². Sa vie sociale, très bien organisée, est très hiérarchisée : les sept à dix individus d'une meute se soumettent à l'autorité d'un chef qui les protège et qui est le seul à pouvoir fonder une famille.

Conclusion

Le loup, ce canidé dont le physique ressemble à celui d'un gros chien, est un animal très sociable. Depuis toujours, il a eu une mauvaise réputation auprès des humains, mais aujourd'hui, on s'aperçoit de plus en plus que celle-ci n'a pas sa raison d'être.